亚马逊网站五星级童书

★ ★ ★ ★ ★

我想去看海

〔法〕克利斯提昂·约里波瓦 / 文 〔法〕克利斯提昂·艾利施 / 图

郑迪蔚 漪然 / 译

二十一世纪出版社
21st Century Publishing House

克利斯提昂·约里波瓦（Christian Jolibois）今年有 352 岁啦，他的妈妈是爱尔兰仙女，这可是个秘密哦。他可以不知疲倦地编出一串接一串异想天开的故事来。为了专心致志地写故事，他暂时把自己的"泰诺号"三桅船停靠在了勃艮第的一个小村庄旁边。并且，他还常常和猪、大树、玫瑰花和鸡在一块儿聊天。

克利斯提昂·艾利施（Christian Heinrich），他是一只勤奋的小鸟，喜欢到处涂涂抹抹的水彩画家，他有一大把看起来很酷的秃头画笔，还带着自己小小的素描本去许多没人知道的地方。他如今在斯特拉斯堡工作，整天幻想着去海边和鸬鹚聊天。

获奖记录：
2001 年法国瑟堡青少年图书大奖
2003 年法国高柯儿童文学大奖
2003 年法国乡村儿童文学大奖

copyright 2001. by Editions Pocket Jeunesse, département d'Univers Poche - Paris, France.
Édition originale: LA PETITE POULE QUI VOULAIT VOIR LA MER.

版权合同登记号 14-2006-023
Chinese simplified translation rights arranged with Univers Poche through Middle Kingdom Media.
本书中文版权通过法国文化出版传媒有限公司帮助获得。

图书在版编目（CIP）数据

我想去看海 / （法）约里波瓦著；
（法）艾利施绘；郑迪蔚，漪然译.
– 南昌：二十一世纪出版社，2006.8（2008.11重印）
（不一样的卡梅拉）
ISBN 978-7-5391-3516-8

Ⅰ.我... Ⅱ.①约...②艾...③郑...④漪...
Ⅲ.图画故事-法国-现代 Ⅳ.I565.85

中国版本图书馆 CIP 数据核字（2006）第 100211 号

我想去看海

作　　者	（法）克利斯提昂·约里波瓦 / 文 （法）克利斯提昂·艾利施 / 绘
译　　者	郑迪蔚　漪然
责任编辑	熊炽 敖德　**后期制作** 敖鑫富
出版发行	二十一世纪出版社
	www.21cccc.com　cc21@163.net
出 版 人	张秋林　**经　销** 新华书店
印　　刷	北京尚唐印刷包装有限公司
版　　次	2006 年 9 月第 1 版　2008 年 11 月第 12 次印刷
开　　本	600mm × 940mm　1/32
印　　张	1.5
书　　号	ISBN 978-7-5391-3516-8
定　　价	6.80 元

本社地址：江西省南昌市子安路 75 号　330009　（如发现印装质量问题，请寄本社图书发行公司调换　0791-6524997）

致克莱尔，我最最小的第一个读者，爸爸。

——克利斯提昂·约里波瓦

致安东尼，刚刚会走路的小旅行家，爸爸。

——克利斯提昂·艾利施

现在是下蛋的时间了！
这可是小鸡们第一次下蛋，看,有的疼得哇哇直哭。
"啊，多可爱的蛋呀！"鸡妈妈们高兴坏了。
只有小鸡卡梅拉拒绝下蛋。
"下蛋，下蛋，总是下蛋！"她生气地说，"生活中应该还有更好玩儿的事可做！"

卡梅拉更喜欢听鸬鹚佩罗讲大海的故事。佩罗曾经游历过很多地方！尽管他说话有些夸张，但卡梅拉还是十分着迷这些美妙的故事。

　　"总有那么一天，我也要去看看大海。"

一天晚上，又到了该回鸡窝睡觉的时间。
"我不想睡觉！我才不要和其他小鸡一样呢！"

"我想去看大海！"

"去看海？你先弄明白自己是谁，再考虑这个吧！"
卡梅拉的爸爸觉得，再也没有比这更蠢的想法了。

"你看看我，出去旅游过一次吗？卡梅拉，大海可不是小鸡玩游戏的地方，跟我回窝里去！"

　　这天晚上，卡梅拉瞪着眼，怎么也睡不着，她还在想看海的事……
　　"不，我就要去看海！马上就去！"

13

卡梅拉轻轻跳下床，推开门，回头
看了她的爸爸妈妈、兄弟姐妹们最后一
眼，就离开了家，朝着梦想中的大海走去。

　　早上，当卡梅拉站在沙丘顶上时，眼
前的一切，让她吃惊得简直不敢相信这是
真的……

卡梅拉在黑夜里勇敢地前进……

走啊，走啊！她走了很远很远，她那双可怜的小脚，已经快没有知觉了。

"……哇！大海！"

这是多么奇妙的景色啊！大海翻滚着雪白的浪花，一会儿惊天动地涌上来、一会儿又轻声细语地退下去……卡梅拉又震惊，又兴奋。

"好美呀！"她喊道，"比佩罗说的还要美！"

卡梅拉先是在沙滩上玩：堆城堡、捡贝壳。饿了，她就吃几粒虾米填肚子。

　　后来，她竟然勇敢地跳进了海里，还喝了一口海水，呸！呸！好咸啊！她咳嗽了一会儿，就用一块木板玩起了冲浪。

　　她游泳、潜水、滑行，还……还在水里尿尿……她笑啊笑！笑个不停……

天色渐渐暗了下来，卡梅拉想回家
了。但可怕的是，海岸线消失了！根本
分辨不出东南西北！家在哪儿呀？

"哇、哇、哇！爸爸！妈妈！"

小鸡又急又怕地哭喊起来。可四周
静悄悄的，没有一个声音回答她。
卡梅拉太累了，不一会儿，她就躺
在木板上睡着了，只有天上的一轮明
月，照着她孤零零的身影。

突然，克里斯托夫·哥伦布的帆船出现在海面上。卡梅拉被惊醒了，她大声呼救："喂！听见了吗？小鸡！有只小鸡在海里……"

卡梅拉的话还没说完，一个巨浪就把她卷上了圣母玛丽亚号的甲板。

25

"哈，一只小鸡！把这个小东西的毛拔干净，煮来吃！"船长命令道。

卡梅拉当然不想就这样被吃掉！她竭力为自己辩护，她说自己不辞辛苦来到这里，只是为了看海……

“够啦！我不想听你的废话，”哥伦布发火了，“把它拿去煮了！”

“等一等，船长，”卡梅拉急中生智，

“鸡蛋！”

“为了丰富您的早餐，我保证每天早上下一个鸡蛋，这可是专为您下的呀！”

她紧张得牙齿直打颤，心想：怎么办呀？我可从没下过蛋，妈妈又不在身边教我。

卡梅拉开始尝试下蛋：蹦、跳、爬高、倒立、仰卧……凡是能想到的方法都用了。

"哇，下个蛋真的好难啊！"

噗！

"哈哈！成功了！很简单嘛！我下了一个蛋！我下了一个蛋！"

一天早上，刚刚下完第 31 个蛋的卡梅拉，远远地望见了海滩和一望无际的森林。

"乌拉！终于见到陆地啦！"

一转眼，他们已经在海上航行了几个星期。

"啊，一只白色的小母鸡，真漂亮啊！"

卡梅拉走向前，有点胆怯地打了声招呼："你好，我叫卡梅拉……"

"我叫皮迪克……"

"我来自一个遥远的地方，在那边，海的另一边……"她指着大海。

"啊，真的吗？从那么远的地方来！"

"你的毛可真红啊，皮迪克……"

"你也很漂亮，卡梅拉！来，我带你去见我的爸爸妈妈吧。"

"爸爸，妈妈！看我带谁来和我们一起吃晚餐了？"

夜晚，大家为了迎接贵宾卡梅拉，在家里举行了盛大的宴会。

"皮迪克？我想问问你……为什么你们这里的鸡，屁股都是光光的？"

"都是因为印第安人，把我们尾巴上最美丽的羽毛，都拿去做头冠了。"

"卡梅拉，跟我来，带你去个好地方，可别让人发现了我们！"

"太棒了！等一下，我可以再拿些黄色的糖果吗？"

"这不是糖果，是玉米！"

他们一边玩一边聊天，"卡梅拉，你有兄弟姐妹吗？你的家是什么样的？"

卡梅拉来劲了，大谈起自己的老家和好朋友鸬鹚佩罗。

她可真有趣呀，皮迪克在心里暗想。
"嗨……卡梅拉……"
"什么事？皮迪克……"
"如果你愿意，明天我带你参观一下我的家乡！"

皮迪克带着卡梅拉，四处游玩。
他们有说不完的话，都觉得从来没有这么快乐过。

"皮迪克，我怎么听到有印第安人的鼓声？"

"不！是我的心跳得太快了，因为有你在我身边……"

从此，卡梅拉和皮迪克形影不离。

"哈哈，看这对小情人……!"
"哈哈，看这对小情人……!"

39

时间过得真快。哥伦布又要扬帆起航了。

皮迪克深深爱上了卡梅拉，他决定和她一起走。

皮迪克依依不舍地和家人告别。
"呜呜！"妈妈伤心地哭了，"辛辛苦苦养大的孩子，就这么远走高飞了。"

几个星期后，卡梅拉带着皮迪克高高兴兴回家了。

"嗨！看谁回来了！"

"是卡梅拉！卡梅拉回来了！"

"妈妈！"

"我的宝贝！快让妈妈看看，啊，你长大了！变成大姑娘了。"

"这位可爱的小伙子是谁？"

"我叫皮迪克，先生。"

"欢迎回家，我的孩子！"

第二年春天，卡梅拉和皮迪克生下了他们的第一个孩子，一只很可爱的小公鸡，他们决定给他起名叫卡梅利多。

几个月后……

"卡梅利多？该回家了！"卡梅拉呼唤着宝贝儿子。

"再等一分钟，妈妈，我在看天上亮晶晶的星星呢。"

"该睡觉了！"

"睡觉，睡觉，总是睡觉！真没劲，我才不要和其他的小鸡一样呢，就知道睡觉！"卡梅利多反抗道，"生活中肯定还有比睡觉更好玩儿的事……"

"我想有颗星星！"